LECTURES **ELI** POU

Jane Cadwallader

Mamie Pétronille
et le ruban jaune

Illustrations de Gustavo Mazali

▶ 2

Voilà Aurélie. Elle court pour aller à l'école. Oh non ! Son sac à dos est ouvert ! Ses cahiers, son stylo et sa règle tombent par terre. Aurélie perd toujours ses affaires !

Le maître est en colère. Aurélie n'a pas son livre ... cela arrive souvent !

Aurélie est au jardin public. Elle parle avec son amie mamie Pétronille. Aurélie est triste parce que son maître est en colère.

Mon maître est en colère. Je perds toujours mes affaires !

Hum. Regarde par terre, c'est ton livre ?

AVIS DE RECHERCHE
Je m'appelle Pollux.
Si tu me trouves appelle le **431044**

Mamie Pétronille met la main dans son petit sac jaune. Qu'est-ce qu'il y a dedans ?

Oh ! C'est un morceau de ruban jaune. Mamie Pétronille met le ruban jaune dans le sac à dos d'Aurélie ! Aurélie ramasse son livre.

7

Aurélie rentre chez elle. Oh non ! Son sac à dos est de nouveau ouvert ! Son livre, sa règle et ses crayons tombent de son sac à dos. Un moment ! Le ruban prend ses affaires ! Il remet tout dans son sac à dos !

3 Je suis un beau ruban jaune
J'aime beaucoup aider les personnes
Si par terre tombent tes affaires
Super, je te les récupère !

4 Aurélie est chez elle. Sa maman est très contente.
Aujourd'hui, elle a toutes ses affaires !

Très bien Aurélie.
Tu as toutes
tes affaires !

Le lendemain matin Aurélie met ses affaires dans son sac à dos. Elle prend son petit déjeuner et elle va à l'école.

Bonne journée Aurélie.

Au revoir maman. Au revoir papa.

Aurélie court à l'école. Oh non ! Son sac à dos s'ouvre de nouveau ! Ses livres, ses stylos, sa règle, sa gomme et ses crayons tombent par terre.

Mais ne t'inquiète pas ! Le ruban jaune récupère ses affaires et il les remet dans son sac à dos. Mamie Pétronille regarde la scène. Elle est très contente.

Mais … ! Que se passe-t-il ? Le ruban jaune ne prend pas seulement les affaires d'Aurélie ! Il prend tout ce qu'il trouve !

Arrête !
Reviens ici tout
de suite !

Qu'est-ce que c'est ! Une carotte ! Un cerf-volant ! Une poupée ! Une plante ! Oh non ! Mamie Pétronille n'est pas contente !

▶ 5

Je suis un beau ruban jaune
J'aime beaucoup aider les personnes
Si par terre tombent tes affaires
Super, je te les récupère !

▶ 6 Mamie Pétronille met la main dans son petit sac
jaune. Qu'est-ce qu'il y a dedans ?

C'est un skateboard ! Et mamie Pétronille
monte dessus ! Mais … Oh non !
Le ruban jaune prend une lampe,
une montre, une orange
et …

... un petit chien !

Arrête ! Laisse
le petit chien !

Mamie Pétronille met la main
dans son petit sac jaune.
Qu'est-ce qu'il y a dedans ?

C'est un vélo ! Mamie Pétronille monte
sur son vélo mais ... trop tard !
Aurélie est à l'école !

Aurélie est en classe. Elle regarde son sac à dos !

Les amis d'Aurélie aussi regardent son sac à dos.
Dans son sac à dos il y a une montre, une lampe,
une plante, un cerf-volant, une poupée,
une carotte et … un petit chien !

Le maître entre dans la classe.
Il est très en colère parce
que les enfants font beaucoup
de bruit !

Vous faites
trop de bruit ! Silence
s'il vous plaît !

Le maître regarde Aurélie.

Qu'est-ce qu'il y a derrière toi ?

Le petit chien saute dans les bras du maître.
Le maître est très content !

Pollux ! Te voilà finalement !

Penses-tu qu'Aurélie va fermer son sac à dos
avant de rentrer chez elle aujourd'hui ?

 7 Karaoké
en version
instrumentale

Jouons ensemble !

1 Lis, associe et dessine.

Mamie Pétronille   carotte

Sac à dos   chien

lampe   livre

maître   plante

stylo   Aurélie

2 Trouve les mots et complète la comptine.

Superpersonnesbeauterrejauneaffairesaime (:

Je suis un __beau__ ruban _____
J'_____ beaucoup aider les _____
Si par _____ tombent tes _____
_____ , je te les récupère !

3 Associe.

1 Aurélie   prend toutes les affaires !

2 Pollux   aide Aurélie.

3 Le ruban jaune   perd toujours ses affaires !

4 Mamie Pétronille   est le chien du maître.

5 Le maître dit :   « Silence s'il vous plaît ! »

4 Écris. Utilise le vocabulaire illustré.

	1	2	3
A			
B			
C			
D			

A3 = <u>le cerf-volant</u>   B3 = _____

D2 = _____   C3 = _____

B2 = _____   A1 = _____

C1 = _____   D3 = _____

5 **Observe et complète.**

maître bruit Aurélie fleur Mamie Pétronille	court parle font prend cueille

1 <u>Mamie Pétronille</u> <u>prend</u> son

petit-déjeuner.

2 _____ _____ à l'école.

3 Maman _____ une _____ .

4 Le _____ _____ avec Pollux.

5 Les enfants _____ beaucoup

de _____ !

6 **Lis et dessine.**

Le ruban jaune prend une plante, un stylo,
une règle, une lampe et un petit chien.

7 **Aimes-tu cette histoire ? Dessine ton visage.**

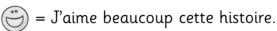 = J'aime beaucoup cette histoire.

= J'aime cette histoire.

= J'aime un peu cette histoire.

= Je n'aime pas cette histoire.